小太阳家庭课堂·动脑动手系列

适合幼儿园、学校

拼图☆魔术☆游戏

——巧剪巧拼巧用脑

陕西旅游出版社

写给小朋友的话

　　为了更好地开发儿童的智商潜能，全方位地培养小孩的动手动脑能力。我们应广大老师、幼教工作者和家长的要求，特组织京、沪、川等地的幼教专家，编写了这套《小太阳家庭课堂·动脑动手》系列丛书。内容包括：英语读写练、儿歌、音乐、舞蹈、折纸、手工制作、七巧板、剪图、拼图、魔术游戏等。

　　这是一套专门根据儿童心理特点，从多方面进行精心编排的儿童智力开发丛书。全书图文并茂，易学实用。有大量的动手动脑范例，做到了"理论"与"实践"相结合，是一套不可多得的好书。既可作为学前小朋友的智力开发学习丛书，也可以作为在校小朋友提高动手动脑能力、增强语言表达能力的辅助教材。

编　者

2001. 1月

智剪巧拼一

用白纸把这个"山"字形的图形描下来，然后把这个图形剪下来，再在这个图形上剪一刀，使它分为三块，用这三块拼出一个正方形来。此题的关键是如何剪好这一刀。请你花些工夫好好想想看。

历史课上老师问："谁知道武则天是什么人?"
学生:武则天是数学家。过五则添，就是发明四舍五入的那位大数学家。"

脑力拼比

智剪巧拼二

图(一)由20个小方格组成的图形,请你把它剪成形状大小完全相同的四块,然后拼出与图(二)相同的图形来。

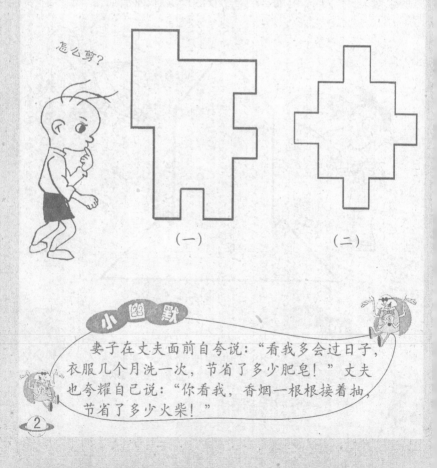

怎么剪?

(一)　　　　(二)

小幽默

妻子在丈夫面前自夸说:"看我多会过日子,衣服几个月洗一次,节省了多少肥皂!"丈夫也夸耀自已说:"你看我,香烟一根根接着抽,节省了多少火柴!"

智剪巧拼三

把图形剪四刀,分为九块,然后再拼出四个大小完全相同的正方形.怎样剪拼?请你试试看。

试一试吧!

小幽默

一位足球裁判,夏天总爱穿件格子衬衫,有人问到此事,这位裁判随口答道:"这样,苍蝇、蚊子一落下来,我就会看出它是否越位了。"

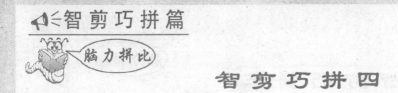

脑力拼比

智剪巧拼四

图(一)由20个小方格组成的图形,请你把它剪成形状大小完全相同的四块,然后拼出与图(二)相同的图形来.

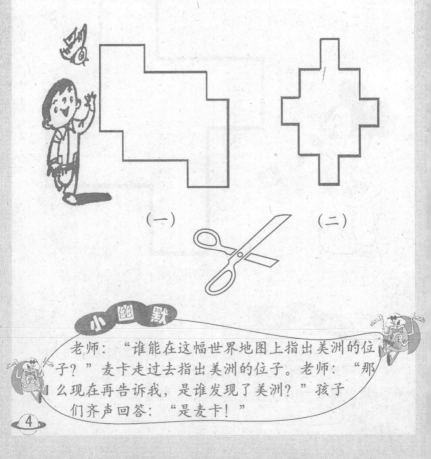

(一)　　　　　(二)

小幽默

老师:"谁能在这幅世界地图上指出美洲的位子?"麦卡走过去指出美洲的位子。老师:"那么现在再告诉我,是谁发现了美洲?"孩子们齐声回答:"是麦卡!"

智剪巧拼五

一幅有趣的图画被分散在八个小方格里，请你把图先描在纸上，然后把图形剪两刀，变为三块，再拼出一个正方形来。这时，有趣的图画将出现在正方形里。怎么剪拼？请你试试看。

试一试吧！

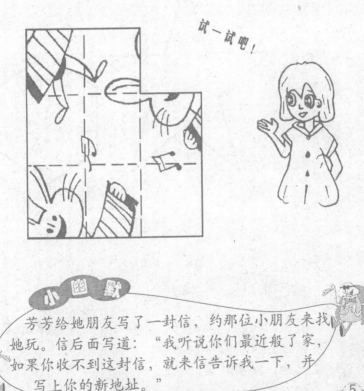

脑力拼比

智剪巧拼六

将图中的五角星剪成五块，然后拼出一个正六边形来。仔细想想，该怎么剪？动手试试。

有点难哦！

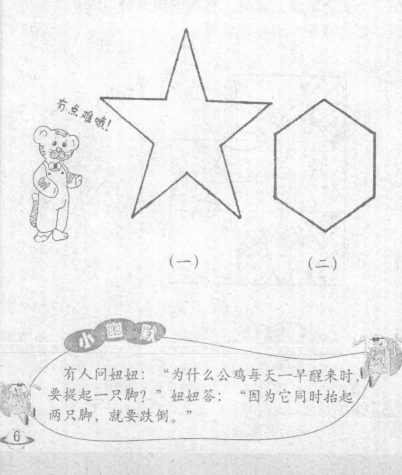

（一）　　　　　（二）

小幽默

有人问妞妞："为什么公鸡每天一早醒来时，要提起一只脚？"妞妞答："因为它同时抬起两只脚，就要跌倒。"

智剪巧拼七

在图形上剪（或用刀划）三刀，使图形变为六块，然后拼出二只一样大小的五角星来。限你在五分钟内完成。你行吗？

你做得到吗？

小幽默

老师："你写的作文白字太多了。"
学生："老师，我写的是白话文。"

巧搭兔栏

　　小明用十三块一样长的木板给兔子搭了一个兔栏。同学小黄要向小明借一块木板，并说只要用十二块木板就可把六只兔子一一分开。你知道小黄是怎样帮小明改搭的吗？

嘿，这难不到我！

小幽默

老师："今晚，我建议你们观看月食。"
学生："几频道？"

巧 变 方 形

请你在"51"两个字上剪三刀，使图形变为五块，然后再拼出一个正方形来。怎么剪拼法？请你试一试。

俺老猪都会!

有点难哦!

小幽默

学生在作文上写道："星期天，我一个人在大街上，伸头缩脑，浩浩荡荡地走着。"
老师批道："试试看。"

9

脑力拼比

巧拼飞鸽

请你把这不规则的图形剪为六块，再拼出一个正六角星来，使正六角星里有一只飞鸽。

哟，有趣！

佳佳来到鞋店买鞋带。"你要买什么样的鞋带？"售货员问道。"一根左边的，一根右边的。"

脑力拼比

巧分图形一

请你把这图形分为形状、大小完全相同的五块，使每块里的三个数字之和都相等。

9	4	7	5
12	5	13	
6	11	9	14
9	10	8	3

试试看吧!

小幽默

化学老师讲课说："直到18世纪，人类才发现了氧气。"一个学生听后举手问道："老师，在那以前，人们都吸什么呢?"

巧分图形二

脑力拼比

在图中的十六个小方格里，共有英文字母A、B、C、D四个。请你把图形分成形状、大小完全相同的四份，使每份图形里面都有A、B、C、D各一个。怎么分？请你试一试。

试一试吧！

"小朋友，你的信超重了，要补贴邮票！"
"不行，阿姨，再补贴邮票就更超重了！"

脑力拼比

巧分图形三

图中有鸟八只，请你把它分成八块形状、大小完全相同的图形，使每块里面都有一只鸟。

试试看吧！

小幽默

老师："为什么打雷的时候，我们先看到闪电，然后才听到雷声？"

学生："因为眼睛在前，耳朵在后。"

巧分图形四

把这个不规则的图形分成形状和大小完全相同的三块，并使每块图形里的两个数字之和都相等，怎么分？请你试一试。

怎么分呢？

甲："老马，不好了，你的箱子被人偷了！"
老马："没关系，钥匙在我这儿呢！"

巧长耳朵一

脑力拼比

图中画有一只没有耳朵的猪，请你从它的身上剪下一块来，再贴在合适的部位上，使它变为一只两耳俱全的猪。仔细想想，该怎么剪？

怎么剪呢？

小幽默

儿子拿回考卷问爸爸："爸，听说你上学的时候留过级，是吗？"爸爸："是留过级。"

儿子："唉，真糟糕，历史又重演了。"

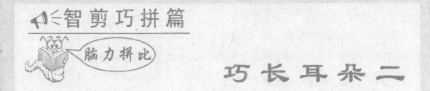

巧长耳朵二

图中画着一只没有耳朵的猫，请你在它的身上剪下一块来，再贴在合适的部位上，使这只无耳朵的猫长出一样大小的两只耳朵来。试试看，此题初看好像很难，如找到窍门就不难了。

试试看吧!

马克买了双新鞋，却放在那里不穿，朋友问他为什么不穿。他说："是这样的，售货员说新鞋头几天会夹脚，所以我要等几天再穿。"

脑力拼比

哪 个 合 适

图中A、B、C三个小方格里的图案，哪一块放在上边空白格子里才合适？请你找一找。

试试看吧！

A   B   C

小幽默

母亲生气地斥责儿子："为什么新穿的裤子就搞得满是泥水？"儿子回答道："因为我摔倒时来不及脱裤子！"

该放哪一块

图中A、B、C三个小方格里的图案，哪一块放在上边空白格子里才合适？请你找找看。

小 幽 默

老师："小明，你能说出四只脚的动物吗？"
小明想了想，又数了数指头，回答道："两只母鸡就是四只脚。"

找拼叠图案

左图中的汽车是在电子游戏机上打出来的样子，请你找一找它是由右边（一）、（二）、（三）三幅图案中的哪两幅叠拼而成的。先别下结论，请仔细观察再说。

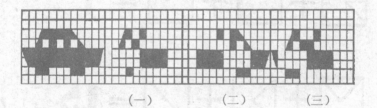

（一）　　　　（二）　　　　（三）

甲："厂长，贵厂生产的雨伞怎么总是漏水呀？"
厂长："并不是总漏，只有下雨天才漏水。"

19

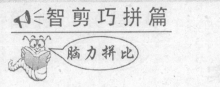

脑力拼比

涂色游戏

请你在图中小方块里的某些部分分别涂上颜色，使等式能成立。怎么涂，请你试一试。

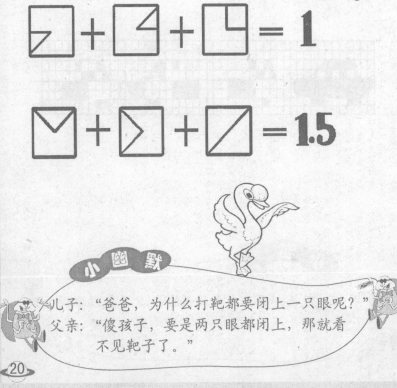

小幽默

儿子："爸爸，为什么打靶都要闭上一只眼呢？"

父亲："傻孩子，要是两只眼都闭上，那就看不见靶子了。"

脑力拼比

认识动物

　　图中都是在空中飞的动物，都是用一笔画画出来的。请你认一认，它们是些什么动物？如果你注意观察，还能画出其它飞着的动物来呢？

小幽默

　　顾客："同志，用旧报纸包食品不卫生。"
　　售货员："没关系，这是《健康报》。"

一变二

图中的一只鸭子在水中戏水，请你把这图形剪成二块。再拼出二只鸭子来。

怎么变呀？

小幽默

一个巫师对一个穷人说："你有十年的时间，将会过非常贫困的生活。"穷人问："那十年以后呢？"巫师说："以后你就习惯了。"

22

拼剪纸

用右图中剪纸的零碎部分可拼出一幅完整的图画（如左图）。但在零碎部分中有一块是多余的，请你把它找出来。然后可用消除法来检验你的答案是否正确；即用铅笔把每一块零碎部分的形状画在完整的图上，这样就可看到哪一块是多余的了。

一个富人和一个穷人在交谈。富人问："假如有一天你忽然从裤兜里掏出几张崭新的钞票，你作何感想？"穷人答："我会以为自己穿错了别人的裤子。"

迭 起 来

图中框框里的图案按迭在一起时，奇迹出现了。请你试试看，叠起来变成什么了？你能把叠起来的样子画出来吗？

邮递员送来一封电报，弟弟用筷子夹着给姐姐。姐问："你干吗用筷子夹呀？"弟弟："我怕触电。"

脑力拼比

辨季节

下图分别是春、夏、秋、冬四个季节里拍的照片，仔细看看，你能分别把每张照片的季节辨别出来吗？

仔细想想哦!

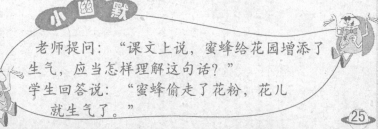

老师提问："课文上说，蜜蜂给花园增添了生气，应当怎样理解这句话？"

学生回答说："蜜蜂偷走了花粉，花儿就生气了。"

脑力拼比

哪画错了

王丽看完校运会后，画了一幅颁奖时的速写。当她把画给老师看时，老师却笑着告诉她说里面有一处很明显的错误。王丽怎么看也看不出来哪画错了，请问你知道她到底哪画错了吗？

错在哪呢？

小 幽 默

小女儿正闭着眼睛站在穿衣镜前面，妈妈见了奇怪地问："你在干吗？"女儿："我想看看我睡着了的时候是什么样子！"

脑力拼比

哪个正确

有A、B两块积木上下叠着，其中下面的一块受到从右方来的外力（如图 中箭头所指），这时积木向左倒下。图（1）、（2）、（3）中其中哪一种情况符合这两块积木倒下时的情景呢？（可用实验证明一下）

哪个对呢？

A

B

（1）　（2）　（3）

五岁的丽丽跟着父亲走进一个停满了小轿车的车库，她对父亲说："爸爸，这里是汽车幼儿园，对吗？"

妙想快答篇

脑力拼比

汽水中的吸管

图中三个玻璃杯里放着相同的汽水，现有三跟吸管分别插在里面， 在图A、B、C中只有一幅是画对了的，你能找出是哪一幅吗?

看出来了吗?

A   B   C

小 幽 默

六岁的戴伟问卡里："卡里叔叔，你为什么常常找我姐姐去看电影呢? 难道你自己就没有姐姐吗? " 卡里："这个……"

谁先发芽

有一样大的A、B两粒种子，分别种在松软、潮湿、温度相同的土壤中。其中A经常受到肥料的浇灌，B则相反。请你想一想，最后哪一粒种子将先发芽？

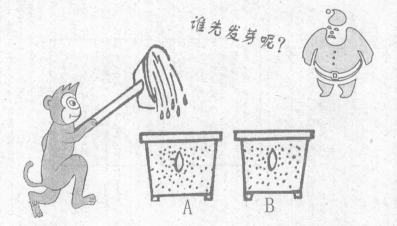

谁先发芽呢？

A   B

小 幽 默

由于新婚夫妇都留着长发，使主持婚礼的牧师分辨不出谁是新郎、谁是新娘。他只好随机应变地喊道："请你们当中的哪一位吻一下新娘！"

寻找自画像

A、B是两幅肖像画，一幅是明明的自画像，一幅是别人给他画的。请你找一找，哪一幅是明明的自画像？

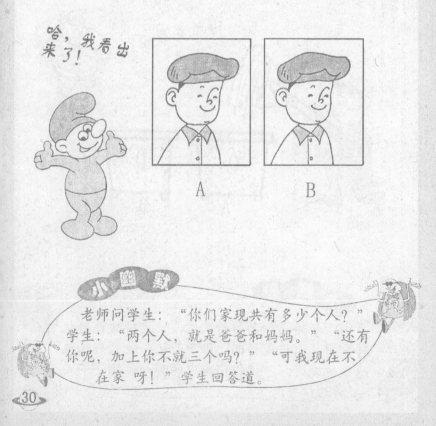

哈，我看出来了！

A　　　B

老师问学生："你们家现共有多少个人？"
学生："两个人，就是爸爸和妈妈。"　"还有你呢，加上你不就三个吗？"　"可我现在不在家呀！"学生回答道。

30

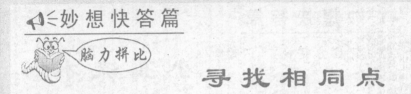

寻找相同点

A、B两幅图看起来毫不相关，但如果仔细找一找，就可以发现两图有四处完全相同的地方。你能在两分钟内说出来吗？

看出来了吗？

邻居："太太，你儿子这次历史考试成绩如何？"母亲："很遗憾，一点也不好，但这不能怪他。老师问的问题全是可怜的孩子出生以前的事情。"

小孔流水

在旧铁皮罐靠近底部的地方，钻上三个靠得很近的小孔，然后往铁罐里到满水，这时水会从小孔里流出来。图A、B中是两种不同的情况，你觉得哪个符合小孔喷水的情景，为什么？

你认为呢？

小幽默

一个学生问爸爸："一个人会因为没有做的事情受罚吗？"父亲："当然不会，因为那样不公平。"孩子："爸您说得对，那我现在告诉您，我没有做功课。"

哪匹马不对

小刚和小明在老师的带领下一起到野外去写生，他们俩在同一地方、同一角度画了一匹正在埋头吃草的马（如图），马的轮廓画得也几乎相同。但老师看了却说有一幅画得不对，你能说出是哪一幅吗？

老师叫起一个学生问："你能讲讲十七世纪一些伟大科学家的情况吗？"学生："能，他们都已经死了。"

脑力拼比

比赛找图

在下面六幅图中，有两幅是完全相同的，请你在半分钟之内找出来。可几个人一起找，看谁找得最快。

看出来了吗？

老师："为什么欧洲的时间比美洲要早？"
学生："因为美洲发现的晚。"

脑力拼比

哪幅图错了

在这四幅图中，其中有一幅和其它三幅不一样，即画错了的，请你仔细找找，看是否能在两分钟之内找出来。

仔细看哦！

母亲："宝宝，你怎么不愿意进学校呢？"
宝宝："妈妈，我又不会读书写字，进学校有什么用呢？"

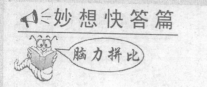
找正确底片

图中A、B、C分别是照相机暗箱上呈现的图像，请你判断一下，哪个是正确的呢？

A

B

C

小幽默

老师："能想象但不能摸的东西。这个概念谁懂？"学生："我懂，老师。烧红了火钳。"

挑反光镜

　　松松不小心把爸爸汽车上的反光镜打碎了，于是他准备悄悄地重新配上一面。图中A是凸面镜，B是凹面镜，C是平面镜，镜面大小都相同，请你帮松松挑一下，哪块镜面配上才合适？

　　法官审问犯人："你为什么一夜之间三次闯入同一间店铺？"犯人："我偷了一件连衣裙，可我老婆却不满意，让我去换了两次。

智剪巧拼答案

智剪巧拼（一）

答案：剪拼如图所示。按图A中的虚线对折成图B的样子，沿着图A虚线剪一刀，即成三块。在按图C拼起，正方形就拼好了。

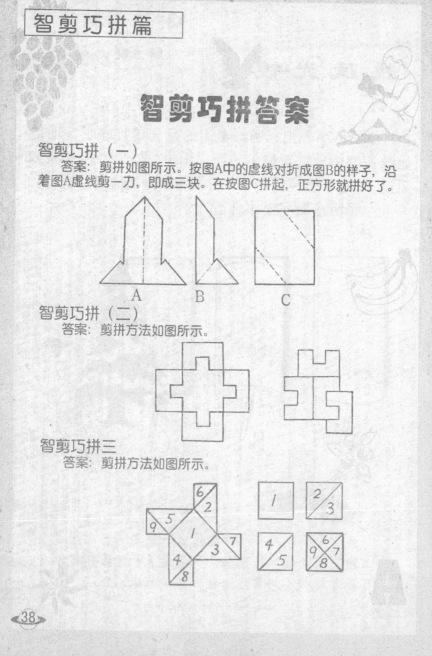

智剪巧拼（二）

答案：剪拼方法如图所示。

智剪巧拼三

答案：剪拼方法如图所示。

智剪巧拼答案

智剪巧拼四
答案：剪拼方法如图所示。

智剪巧拼五
答案：剪拼方法如图所示。

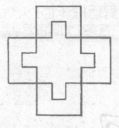

剪拼正六边形
答案：如图示沿虚线剪开，再按右图示拼好。

智剪巧拼答案

智剪巧拼（七）
　　答案：如图所示。

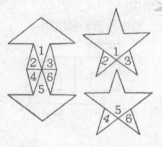

巧答兔栏
　　答案：如图所示。

巧变方形
　　答案：如图所示。

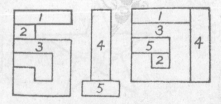

智剪巧拼答案

巧拼飞鸽
答案：如图所示。

巧分图形一
答案：如图所示。

9	4	7	5
12	5	13	
6	11	9	14
9	10	8	3

巧分图形二
答案：如图所示。

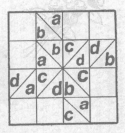

智剪巧拼答案

巧分图形三
答案：如图所示。

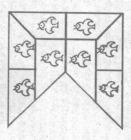

巧分图形四
答案：如图所示。

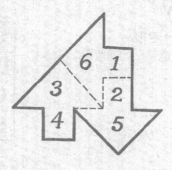

巧变耳朵一
答案：如图所示。

智剪巧拼答案

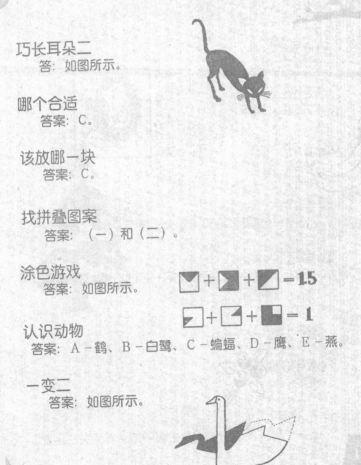

巧长耳朵二
　　答：如图所示。

哪个合适
　　答案：C。

该放哪一块
　　答案：C。

找拼叠图案
　　答案：（一）和（二）。

涂色游戏
　　答案：如图所示。

认识动物
　　答案：A－鹤、B－白鹭、C－蝙蝠、D－鹰、E－燕。

一变二
　　答案：如图所示。

智剪巧拼答案

认识动物
　　答案：B。

迭起来
　　答案：如图所示。

该放哪一块
　　答案：C。

辨季节
　　答案：分别是 春天、冬天、夏天、秋天。

哪画错了
　　答案：领奖台第二名应在第一名的右边。

哪个正确
　　答案：图（2）。

汽水中的吸管
　　答案：B。

谁先发芽
　　答案：种子发芽的快慢与土壤中的营养无关，因此，它们会一起发芽。

智剪巧拼答案

寻找自画像
答案：A，因为照镜子对着画时，衣服的门襟应该是反的。

寻找相同点
答案：A的眼睛与B的背上扣子、A的头发与B的左手、A图的摄影机镜头和B的右脚、A摄影机的套筒与B的鼻子。

小孔流水
答案：B。

哪匹马不对
答案：A，因为马吃草时，为了防止草叶刺伤眼睛，本能地会闭上眼睛。

比赛找图
答案：C 和 D。

哪幅图错了
答案：C，右前蹄不对。

找正确底片
答案：A。

挑反光镜
答案：平面镜能如实反映景物大小，但收景不多；凹面镜有放大作用，收景更少；凸面镜能把景物缩小，因此收景面大。故选A。

快乐的游戏

游戏世界

弹玻璃珠

游戏内容 用手中的弹珠在指定区域外去弹五角星中的玻璃珠，被弹出五角星的球归自己所有。

游戏方法 1.先画一条站立线，在距离站立线大约3米处，画一个五角星，中间放若干弹珠。

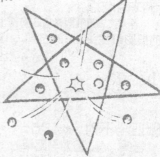

2.在站立线外，用手中的弹珠去弹五角星中的玻璃珠，被弹出五角星的球归自己所有。如没有一颗被弹出，自己的玻璃球也只能放进五角星中，让下一个人来玩。

小笑话

妻子对丈夫说："客人来后，如果呆到六点还不走，你就冲着他们咳嗽，说你有传染病。要是他们想过夜，你就跟他们念你那篇节约家庭开支的论文。"

46

玩沙包

游戏内容 将两只沙包在左右手中来回抛动，并且沙包必须落在两只手上。

游戏方法 1.左右手各握一个沙包。

2.将右手的沙包向左扔，与此同时，左手的沙包迅速向右扔，两手必须接稳沙包。

3.也可将沙包向上扔，落下时用手背接住。

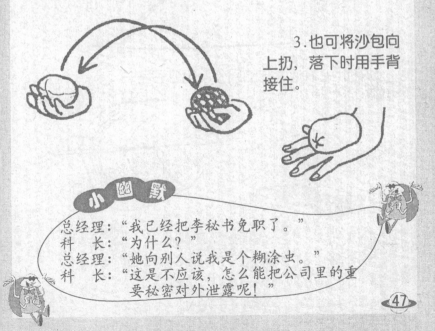

小幽默

总经理："我已经把李秘书免职了。"
科　长："为什么？"
总经理："她向别人说我是个糊涂虫。"
科　长："这是不应该，怎么能把公司里的重
　　　　要秘密对外泄露呢！"

◀≷ 快乐的游戏

游戏世界

叶子编的草鞋

游戏内容 用圆形的树叶和小草做成一双草鞋。

游戏方法 1. 在野外找几张柿子叶或者其他椭圆形的树叶。

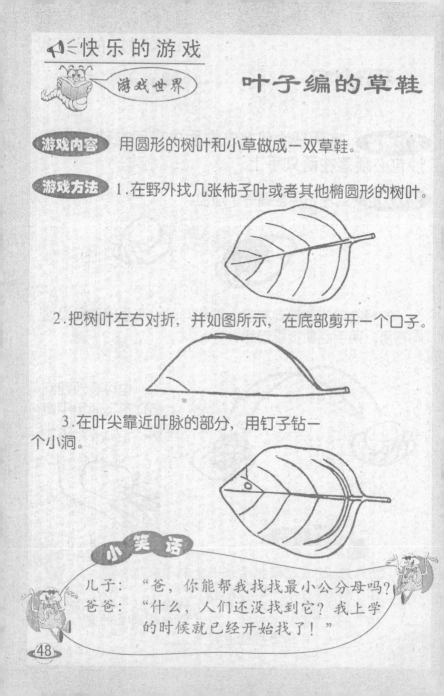

2. 把树叶左右对折，并如图所示，在底部剪开一个口子。

3. 在叶尖靠近叶脉的部分，用钉子钻一个小洞。

小笑话

儿子："爸，你能帮我找找最小公分母吗?"
爸爸："什么，人们还没找到它? 我上学的时候就已经开始找了!"

48

4.将2中切开的部分向上折，将叶柄插入小孔中。

5.为了使鞋带不会被随便拔出，在其背面用小草打一个结。

6.一只结实的草拖鞋就做好了。

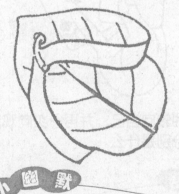

小幽默

顾客问店员："这只表落到海里，真的不会停吗？"

店员答道："当然不会了，它会一直沉下海底去。"

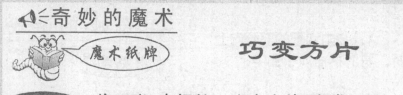

奇妙的魔术

魔术纸牌

巧变方片

魔术内容 将三张A中间的一张由方片A变成红桃A。

游戏方法 1.将摆好的牌面朝观众，并告诉他们你手里有三张牌分别是黑桃、方片和梅花。

2.将牌面慢慢地转向自己，并再一次向观众说明他们刚才看到的三张牌分别是什么。

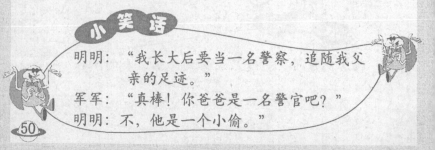

小笑话

明明："我长大后要当一名警察，追随我父亲的足迹。"

军军："真棒！你爸爸是一名警官吧？"

明明：不，他是一个小偷。"

3.听到回答后，将前方两张牌悄悄往外移动，并把牌面亮给大家看，此时方片A已经变成红桃A了。

技巧：手里拿三张A牌，分别是红桃、黑桃和梅花。把红桃A放中间，并用另两张牌挡住它前方的两边，这样红A看起来就像方片A了。

小幽默

一个小男孩迷路了，他边哭边叫妈妈。警察走过来问他："小朋友，你住在哪条街上？"小孩擦去眼泪说："我不是住在街上，我住在家里！"

奇妙的魔术

魔术筷子

胶水筷子

魔术内容 一跟普通的筷子，悬浮放在掌心而不会掉下来。

游戏方法 1.魔术前，在右手腕上戴只手表，将一截筷子插入表带中，注意长度，不要让它露出来。左手再拿一根筷子横插在右手的筷子中。

2.如图所示，用左手的食指按住筷子，同时张开右手。

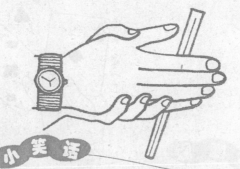

小笑话

老师："李明，伦敦和月亮哪个远呢？"

李明："伦敦" 老师："为什么？"

李明："因为我可以看见月亮，但却看不到伦敦。"

3.这时转回身，将按住筷子的手松开，筷子就像粘在手上一样，手上下摇动也不会掉下来。

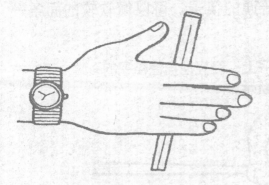

技巧：当把按住筷子的手松开时，要装出一副很用力的样子，就好象要将筷子拔下来似的。实际是用先藏在手中的筷子压住的。

某省考试，有卷引用："昧昧我思之"一语，误作："妹妹我思之。"阅卷老师批曰："哥哥你错了。"

奇妙的魔术

魔术筷子

柔软的筷子

魔术内容 一根普通的筷子，可以像软软的面条一样左右摆动。

游戏方法 1.在桌子上，轻轻地捏住筷子的一端，手左右轻微地摆动，如图所示。

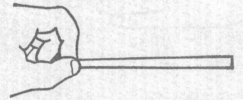

2.再按照图（2）的样子，用手水平地捏住筷子，轻轻地上下移动。

技巧：这样利用人眼的视觉误差，筷子看起来就像软绵绵地在左右晃动一样了。

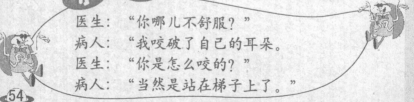

小笑话

医生："你哪儿不舒服？"
病人："我咬破了自己的耳朵。"
医生："你是怎么咬的？"
病人："当然是站在梯子上了。"

会点头的手绢

魔术手绢

魔术内容 绵绵的手绢也可以向你频频地点头。

游戏方法 1.用左手捏住手绢正中部分，轻轻地抖动。

2.然后换成右手捏住手绢中部。此时，左手离开，手绢却依然立在右手中。左手好像牵着一根绳子一样向后拉，手绢也向后倒。使人感觉是左手在操纵手绢。实际上是右手的大拇指在捣鬼。

小幽默

老师："请解释一下悲剧与喜剧。"

学生："当喜剧没有人去买票的时候，喜剧就会变成悲剧。"

奇妙的魔术

消失的绳环

魔术内容 用绳子打好的两个结，轻轻拉就消失了。

游戏方法 1.魔术前，先准备一条长1.5米长的绳子。让观众看好。用右手捏住左端，左手捏住绳子右端，成环状。

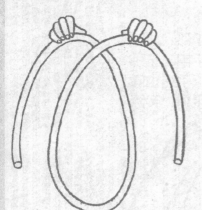

2.让左手的绳子从右手的绳子上端通过，形成两个圆。

小笑话

"捷克人怎么知道地球是圆的呢？"
"1945年，他们把占领者赶回了西方；
而1968年，占领者从东方回来了。"

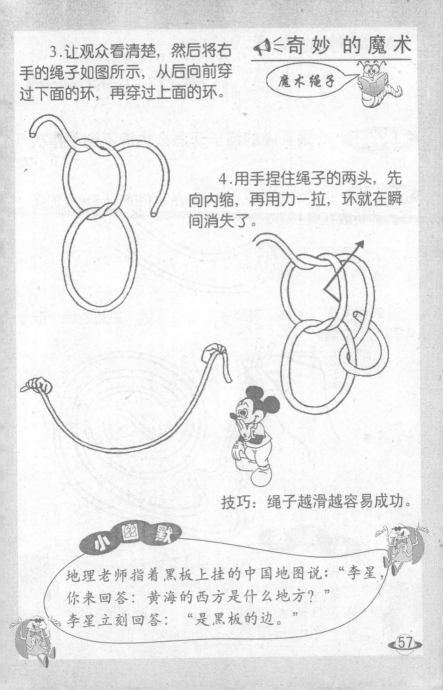

3.让观众看清楚，然后将右手的绳子如图所示，从后向前穿过下面的环，再穿过上面的环。

奇妙的魔术

魔术绳子

4.用手捏住绳子的两头，先向内缩，再用力一拉，环就在瞬间消失了。

技巧：绳子越滑越容易成功。

小幽默

地理老师指着黑板上挂的中国地图说："李星，你来回答：黄海的西方是什么地方？"

李星立刻回答："是黑板的边。"

57

◀≶奇妙的魔术

魔术绳子

缠不了的旋涡

魔术内容 一跟普通的绳子却怎么也缠不到手指头上去。

游戏方法 1.魔术进行前，准备一条稍粗的2～3米长的绳子，对折放在桌上。

2.捏住绳子两头，将绳子卷成旋涡状，如图所示，正中有两个旋涡。

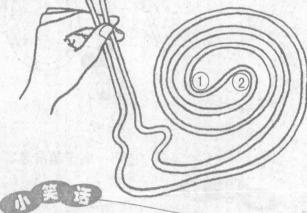

小笑话

"妈妈，我做了一个有趣的梦！"

"你梦里看见了什么？"

"还是你说吧，妈妈，因为你当时也在梦里呀！"

58

魔术绳子

3.让观众随便将手指插在1或2的位置上。这里我们假设观众将手指插在2的位置上。

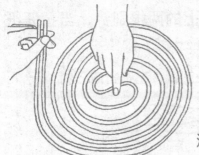

4.一拉绳子的两头，刺溜一下，绳子跑走了。

5.你可以再来一次，一边按照刚才的方法再做一个旋涡。这次，观众一般会把手放在1的位置上。将外侧的绳子反向圈一圈，捏住绳子两端一起拉。绳子同样又溜走了。

小 幽 默

爸爸："你都五岁了，还那么胆小！" 强强："奶奶都七十岁了，胆子比我还小呢。" 爸爸："你怎么知道？" 强强："每次过马路，她总抓住我的手不放。"

魔术别针

别针兄弟

魔术内容 单独别在纸条上的两根别针，当拉开纸条时，别针飞起并连接在一起了。

游戏方法 1.取一张细长的纸，左右折成三折。

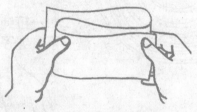

2.如图中所示，在纸条交界的地方别一根别针。再以同样的方式在另一交界处别一跟别针。

小笑话

放学路上，毛毛对丁丁说："我看这位新来的数学老师不怎么样。" "为什么？"

"昨天她对我说5+1=6，可今天她又说4+2=6。"

3.捏住纸的两端，慢慢向两边拉，这时，别针会逐渐向中间靠拢。

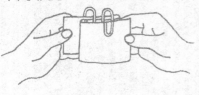

魔术别针

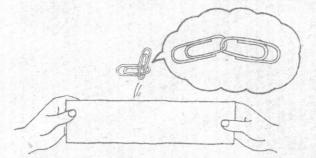

4.最后，将纸完全打开（嘴里可以说些增加气氛的语言），连着的别针就飞向空中了。

提示：别别针时，两个别针的固定方向应该一致。否则别针将不会连在一起。

小幽默

某医生发表了一篇论文，题目是《论吸烟的危害》。稿酬寄来之后，儿子问父亲："爸爸，稿酬是多少？"父亲挥动一个纸包说："喏，两条'大前门'！"